ÉDiKA
ORTEiLS COiNCÉS

FLUiDE GLACiAL

SOMMAIRE

BOUSTIFFE...

DZAÏNG

FTOMP

OUY...

OUYOUILLE

CROK
CRAK
CRIK

UN MEXICAIN BASANÉ-ÉÉÉÉ, ♪
EST ALLONGÉ SUR LE SO-OOOOL ♪♫
LE SOMBRERO
SUR LE NEZ-ÉÉÉÉ
EN GUISE-EN GUIZE
EN GUISE, EN GUIZE
EN GUIHI-HIÏ-HIÏ-
HIÏIIIIIIIIIII-HIÏ-HIÏ-
TCHIK-TCHIK-TCHIK
DE PARASOOOOOL

FWUUUWW...

HOT-DOGS FRITES

SAUCISSES●FRITES●HOT-DOGS●CREPES
CORNICHONS●MEGUEZ●CROQUEMONSIEUR
PIZZAS YOUGOSLAVES●FONDUE BOURGUIGNONNE
CŒURS DE PALMIERS●HUILE DE FOIE DE MORUE 'A LA
CONFITURE●RÉGLISSES AU POIVRE●ASPRO ETC...

HOT-DOGS FRITES

PETITS POIS AU LARD● PINTADE AUX CHOUX
SALADE D'ASPERGES● RIZ 'A L'IMPÉRATRICE
FILET DE SOLE 'A LA MORNAY● FRICASSÉE
DE COULEMELLES (OU LÉPIOTES) RAFRAICHIES
'A LA CREME MOUSSEUSE AU RHUM YÉMÉNITE.

EH

PSSST

BIZARRE ÇA

FWIW ♪

FWIT

TIENS ?!!

POURTANT
J'AURAIS JURÉ QUE

COMPRENDS PAS
COMPRENDS PAS

AH C'EST TOI MON AMOUR?...

NON JE NE PEUX PAS
MAINTENANT...

NON ARRÊTE, MAIS ARRÊTE
QUELQU'UN PEUT NOUS VOIR...

TU ES FOU, HAHHAHA
MAIS TU ES FOUUU

MAIS ENFIN
DONNE MOI LE
TEMPS DE

AÏE AÏE
ATTENDS
MAIS ATTENDS
MAIS IL EST
FOU...

AH NON
NON
PAS ÇA GRAND NAÏF, TU SAIS
PAS ÇA QUE T'ES UN GRAND
NAÏF?

AAH

KEUH

8

YAHA!
GLAAA

HHHH...
HHHHH...

HHH...

!?

MADAME, JE M'EXCUSE D'OSER PRENDRE L'INITIATIVE D'AVOIR L'AUDACE DE CROIRE QUE J'AURAIS LA HARDIESSE DE PENSER POUVOIR VOUS DIRE QUE JE VOUDRAIS SAVOIR SI

AYAAG WAAR H

PARDON? J'AI PAS COMPRIS, QU'EST-CE QUE VOUS AVEZ DIT?

NON NON RIEN. J'AI RIEN DIT

MAIS SI, PARLEZ VOYONS, NE SOYEZ PAS TIMIDE COMME ÇA ENFIN QUOIII

BON JE...JE VOUDRAIS... SSS...SAVOIR CE QUE VOUS AVEZ COMME BOUSS...BOUSS...

BOUSTIFAILLE EH BEN VOILA EH BEN VOILAAAA

JE FAIS DES HOT-DOGS, FRITES CRÊPES, MEGUEZS À NE PAS CONFONDRE AVEC MERGUEZS QUI SONT PLUS PIQUANTES, PIZZAS, ŒUFS DURS, ASPERGES ETC... ALORS?

BON ALORS EUH...UN...UN HOT-DOG NON J'AI RIEN DIT

METTEZ VOTRE DOIGT ICI

ICI?

OUI

LÀ? ICI?   OUI

CLAP

ÇA VOUS A FAIT MAL?

AH OUI, J'AVOUE QUE ÇA M'A FAIT TRÈS MAL

C'EST ÉROTIQUE

SURTOUT QU'ON S'Y ATTEND PAS

AAA

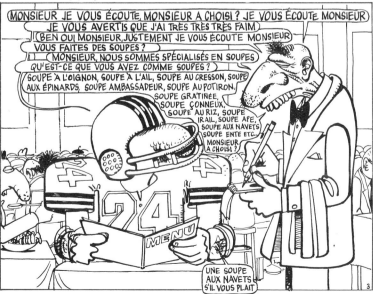

MONSIEUR JE VOUS ÉCOUTE, MONSIEUR A CHOISI? JE VOUS ÉCOUTE MONSIEUR
JE VOUS AVERTIS QUE J'AI TRÈS TRÈS FAIM
BEN OUI MONSIEUR, JUSTEMENT JE VOUS ÉCOUTE MONSIEUR
VOUS FAITES DES SOUPES?
MONSIEUR, NOUS SOMMES SPÉCIALISÉS EN SOUPES
QU'EST-CE QUE VOUS AVEZ COMME SOUPES?
SOUPE À L'OIGNON, SOUPE À L'AIL, SOUPE AU CRESSON, SOUPE AUX ÉPINARDS, SOUPE AMBASSADEUR, SOUPE AU POTIRON, SOUPE GRATINÉE, SOUPE ÇONNEUX, SOUPE AU RIZ, SOUPE IRAIL, SOUPE APE, SOUPE AUX NAVETS SOUPE ENTE ETC. MONSIEUR A CHOISI?

UNE SOUPE AUX NAVETS S'IL VOUS PLAIT

ÉDIKA 1.86

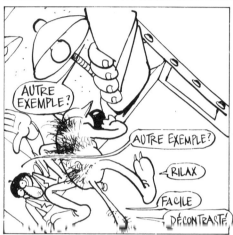

17

LES MALHEURS DE CLARK GAYBEUL

IL NE M'AURA PAS

CRAK CROK

MERD P'PA T'AS COGNÉ LE FLIC

LA CEINTURE DE SÉCURITÉ! VOUS NE PORTEZ PAS LA CEINTURE DE SÉCURITÉ! VOTRE COMPTE EST BON: CARTE GRISE, VIGNETTE, ASSURANCE, PERMIS DE CONDUIRE, CARTE BLEUE, DÉCLARATION D'IMPÔTS, BULLETINS DE SALAIRE, RELEVÉ DE COMPTE BANCAIRE ÉLECTRO-CARDIOGRAMME REVUES PORNOS

TAIS-TOI, ON FAIT COMME SI DE RIEN N'ÉTAIT ET ON LE LAISSE S'ÉLOIGNER

HOPITAL FOCH

FACTURE DE GAZ, PLAN D'ÉPARGNE LOGEMENT, BILLETS DE CINÉMA BILLETS DE LOTO

ASSURANCE VIEILLESSE CARTE DE RETRAITE, CARTE DE MALADIE, ASSURANCE DÉCÈS CARTE PASS, TÉLÉ 7 JOURS, BILLETS RESTAURANT, NUMÉRO DE CODE DE VOTRE DÉCODEUR CANAL PLUS, BILLETS DE RÉDUCTION DE 10% SUR TOUT ACHAT DE MEUBLES DE PLUS DE 3700 Frs DE CHEZ CONFORAMA, FACTURE DE VOTRE DENTISTE, ALBUM N°5 DE FRANQUIN, PLAN DE PARIS, REVUES PORNOS

HOPITAL FOC

ÊTES-VOUS DEVENU FOU IGOR?

QUOI PATRON, QU'EST-CE QU'IL Y A? QU...?

JE VOUS AI DÉJÀ DIT CENT MILLE FOIS DE RESTER ABSOLUMENT IMMOBILE PENDANT QUE JE RECOUDS LA MEMBRANE DU CRISTALLIN DU GLOBE OCULAIRE DE LA RÉTINE, VOUS ÊTES FOU?

EXCUSEZ-MOI PATRON, JE NE V...

NON MAIS VOUS CROYEZ QUE JE N'AI PAS REMARQUÉ QUE VOTRE DOIGT S'EST DÉPLACÉ D'UN QUART DE MILLIMÈTRE VERS LA GAUCHE? VOUS VOULEZ MON POING SUR LA GUEULE? TAISEZ-VOUS! TAISEZ-VOUS! QUELLE INSOLENCE! NON MAIS VOYEZ-VOUS CELA!

VODKA + HARISSA

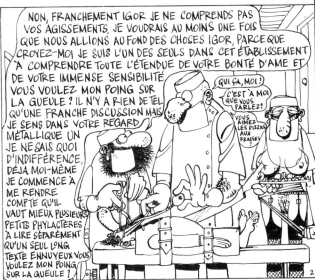

NON, FRANCHEMENT IGOR JE NE COMPRENDS PAS VOS AGISSEMENTS, JE VOUDRAIS AU MOINS UNE FOIS QUE NOUS ALLIONS AU FOND DES CHOSES IGOR, PARCE QUE CROYEZ-MOI JE SUIS L'UN DES SEULS DANS CET ÉTABLISSEMENT À COMPRENDRE TOUTE L'ÉTENDUE DE VOTRE BONTÉ D'ÂME ET DE VOTRE IMMENSE SENSIBILITÉ VOUS VOULEZ MON POING SUR LA GUEULE? IL N'Y A RIEN DE TEL QU'UNE FRANCHE DISCUSSION MAIS JE SENS DANS VOTRE REGARD MÉTALLIQUE UN JE NE SAIS QUOI D'INDIFFÉRENCE, DÉJÀ MOI-MÊME JE COMMENCE À ME RENDRE COMPTE QU'IL VAUT MIEUX PLUSIEURS PETITS PHYLACTÈRES À LIRE SÉPARÉMENT QU'UN SEUL LONG TEXTE ENNUYEUX VOUS VOULEZ MON POING SUR LA GUEULE?

QUI ÇA, MOI! C'EST À MOI QUE VOUS PARLEZ?!

VOUS AIMEZ LES PIZZAS AUX FRAISES

RESTONS CALMES DOCTEUR VOUS...VOUS VOYEZ BIEN QUE TOUT CECI N'EST QUE DE LA VULGAIRE BANDE DESSINÉE ET QUE NOUS NE SOMMES QUE DE PAUVRES ÊTRES HUMAINS FAITS DE PAPIER ET D'ENCRE DE CHINE PÉLIKAN ET QU'IL SUFFIT QUE D'UN COUP DE GOUACHE BLANCHE POUR NOUS RACCOURCIR UN BRAS OU NOUS FAIRE DISPARAÎTRE COMPLÈTEMENT, ALORS À QUOI ÇA SERT DE NOUS FÂCHER ! PROFITONS DE LA VIE AVANT QUE L'ON DEVIENNE DU PAPIER CUL ET EMBRASSONS-NOUS GOULÛMENT SUR LA BOUCHE.... KEUHHH....

MONTREZ-MOI VOS PAPIERS

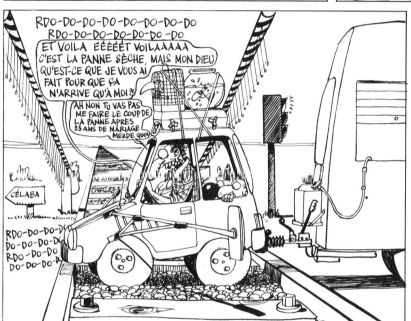

RDO-DO-DO-DO-DO-DO-DO-DO
RDO-DO-DO-DO-DO-DO-DO

ET VOILA ÉÉÉÉET VOILAAAAA C'EST LA PANNE SÈCHE, MAIS MON DIEU QU'EST-CE QUE JE VOUS AI FAIT POUR QUE ÇA N'ARRIVE QU'À MOI ?!

AH NON TU VAS PAS ME FAIRE LE COUP DE LA PANNE APRÈS 23 ANS DE MARIAGE MERDE QUOI

CÉLABA

RDO-DO-DO-DO-DO-DO-DO-DO
RDO-DO-DO
DO-DO-DO-DO

MAIS QUI C'EST QUI M'A FOUTU UNE BAGNOLE DE MERDE PAREILLE ?!! ET VOILAAAAA JE L'AVAIS DIT ET PERSONNE N'A VOULU ME CROIRE ! QUAND JE PARLE PERSONNE NE M'ÉCOUTE ET ENSUITE ON M'ENGUEULE

ÇA FAIT DES MOIS QUE JE DIS QUE LE CARBURATEUR EST FOUTU ET TOUT LE MONDE S'EN FOUT

YAY

KLANG! BORDEL DE BANG MERDE-DING BAGNOLE DE MES DÉBOING

VITE P'PA YA LE TRAIN QUI ARRIVE !

KLANG BOÏNG TOÏNG

DZAG BANG

VITE P'PA YA LE TRAIN QUI ARRIIIVE !! PLUS VITE PLUS VITE

EH P'PA

AUTO-BILAN MON CUL BLANG! CLANG! BAGNOLE DE CONS GARAGISTE DE MES COUILLES DING! BOÏNG!

ÉDIKA 6.86

25

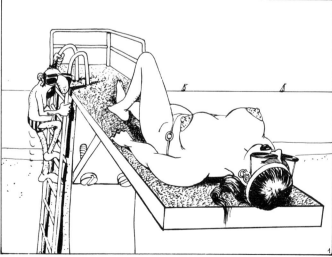

ALORS MA BELLE, ON SE DORE TOUTE SEULE AU SOLEIL SANS LAISSER PROFITER LES AUTRES ?

MMMM ?

HAHHHHA

J'AI DIT HAHHHHA

JE SUIS ALLÉ AU MARCHÉ AUX OISEAUX ET J'AI ACHETÉ DES OISEAUX POUR TOI MON AMOUR JE SUIS ALLÉ AU MARCHÉ AUX FLEURS ET J'AI ACHETÉ DES FLEURS POUR TOI MON AMOUR JE SUIS ALLÉ AU MARCHÉ À LA FERRAILLE ET J'AI ACHETÉ DES CHAINES, DE LOURDES CHAINES POUR TOI MON AMOUR

ET PUIS JE SUIS ALLÉ AU MARCHÉ AUX ESCLAVES ET JE T'AI CHERCHÉE MAIS JE NE T'AI PAS TROUVÉE MON AMOUR

C'EST SUBLIME HEIN? VOUS ICI SUR CE TREMPLIN ET MOI LÀ EN FACE DE VOUS, CHACUN DE NOUS AYANT LES MÊMES PENSÉES SANS QU'AUCUN DE CHACUN DE NOUS N'OSANT DIRE À L'AUTRE CE QUE LUI-MÊME PENSE DE L'AUTRE AVANT QUE L'AUTRE N'OSE DIRE CE QUE LUI-MÊME A DE TOUTE FAÇON PENSÉ TOUT EN ÉTANT SÛR QUE L'AUTRE LE PENSE AUSSI MAIS N'OSE LE DIRE.

AAH LALA LALA, VOICI ENFIN QUE NOS CHEMINS SE CROISENT, JE LE SAVAIS, J'EN ÉTAIS SÛR, QUELQUE CHOSE AU PLUS PROFOND DE MON INCONSCIENT M'A TOUJOURS DIT QUE JE VOUS RENCONTRERAIS UN JOUR

HEUREUSEMENT QUE J'AI ENTRETENU LES MUSCLES DE MES ABDOMINAUX PAR DES MOUVEMENTS RÉGULIERS ET EN RESPIRANT LENTEMENT AFIN DE GARDER UNE ALLURE SVELTE ET PLEINE DE PROMESSES

DIRE QUE NOUS AVONS FAILLI NOUS RATER, JE VOUS AI CHERCHÉE PARTOUT MAIS PARTOUT, À AUBERVILLIERS, AU MARCHÉ AUX PUCES DE SAINT-OUEN, J'AI FAIT TOUS LES MAGASINS TATI DE BARBÈS, JE T'AI ATTENDUE DES HEURES INTERMINABLES À LA PLACE ST MICHEL EN FACE DE GIBERT JEUNES, J'AI TRAINÉ DES APRÈS-MIDI ENTIERS OU ENTIÈRES PARCE QUE LES DEUX SE DISENT, DANS TOUTES LES FNACS DE PARIS, J'AI FAIT DU VÉLO PAR TOUS LES TEMPS, QU'IL NEIGE OU QU'IL VENTE, J'AI PARCOURU DE LONG EN LARGE TOUS LES CENTRES COMMERCIAUX, CARREFOUR, EURO-MARCHÉ MAMMOUTH, RADAR-GÉANT CASTORAMA, CONFORAMA DE TOUTE LA RÉGION PARISIENNE ET DIRE QUE TU ÉTAIS LÀ, LÀ TOUT PRÈS DE MOI AUX ÎLES BAHAMAS ET QUE JE NE M'EN DOUTAIS MÊME PAS! OW GOD OW GOD! DO YOU KNOW WHAT YOU ARE DOING?

BONK

RTONG TOBONG

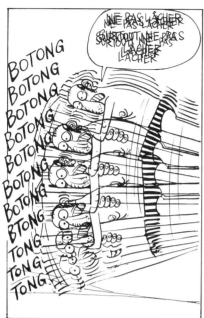

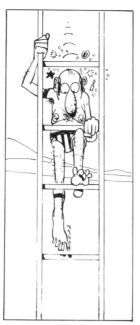

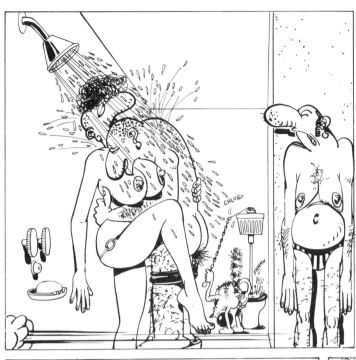

CHLOGO

BONJOUR MADAME, JE NE SAIS PAS SI J'AURAI ASSEZ DE COUILLES POUR AVOIR LE COURAGE DE VOUS DEMANDER CELA, MAIS ÇA VOUS DIRAIT DE VENIR CHEZ MOI RABOTER MES VOLETS EN BOIS?

NE RÉPONDEZ PAS TOUT DE SUITE

FAITES COMME SI DE RIEN N'ÉTAIT

NE REGARDEZ PAS DE MON COTÉ

FAITES SEMBLANT COMME SI CE N'ÉTAIT PAS VRAI

SIFFLEZ, SIFFLEZ EN REGARDANT LE PLAFOND

NE RÉPONDEZ PAS TOUT DE SUITE

TOUSSEZ ENTRE CHAQUE ADVERBE ET ROTEZ APRÈS CHAQUE ADJECTIF

CRACHEZ PAR TERRE AVANT CHAQUE PRÉSENT DU SUBJONCTIF

QU'EST-CE QUE TU PENSES GUÉNOLÉ, TU CROIS QUE JE PEUX ALLER RABOTER LES VOLETS DE CE CHARMANT ET SYMPATHIQUE BAIGNEUR?

FAITES COMME SI RIEN N'ÉTAIT

NE REGARDEZ PAS DE MON COTÉ

VOYONS VOÏÏÏÏR.... QU'EST-CE QUE JE PEUX RÉPONDRE DE MARRANT ET D'HUMOURISTIQUE POUR QUE ÇA FASSE RIRE SANS DONNER CETTE IMPRESSION DE REDIRE SANS CESSE ET DE MANIÈRE LASSANTE TOUJOURS LA MÊME CHOOOSE!..

VOYONS VOIR...

EUH... NON CELLE-LÀ ELLE EST CONNUE

CELLE-LÀ AUSSI

OU ALORS CELLE-LÀ

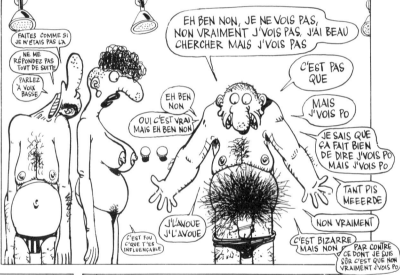

FAITES COMME SI JE N'ÉTAIS PAS LÀ

NE ME RÉPONDEZ PAS TOUT DE SUITE

PARLEZ À VOIX BASSE

EH BEN NON

OUI C'EST VRAI MAIS EH BEN NON

EH BEN NON, JE NE VOIS PAS, NON VRAIMENT J'VOIS PAS, J'AI BEAU CHERCHER MAIS J'VOIS PAS

C'EST PAS QUE

MAIS J'VOIS PO

JE SAIS QUE ÇA FAIT BIEN DE DIRE J'VOIS PO MAIS J'VOIS PO

TANT PIS MEEERDE

NON VRAIMENT

C'EST BIZARRE MAIS NON

C'EST FOU C'QUE T'ES INFLUENÇABLE

J'L'AVOUE J'L'AVOUE

PAR CONTRE CE DONT JE SUIS SÛR C'EST QUE NON VRAIMENT J'VOIS PO

EH BEN NON

J'VOIS PO

AAH!

AU SEGARGL JE NE SAIS PAS NAGARGL

FAITES VITE PARCE QUE ÇA M'ÉNERVE

YAY!

TAGADAP TAGADAP TAGADAP

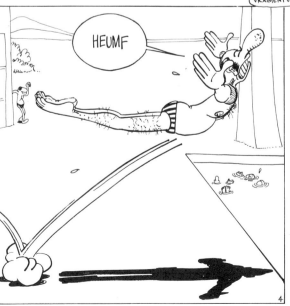

HEUMF

SBAING

MARRE DE CE DESSINATEUR DE MERDE QUI PASSE SON TEMPS À ME FAIRE PASSER POUR UN CON, ON A BEAU ÊTRE UN PERSONNAGE DE B.D., QUAND ÇA FAIT MAL, ÇA FAIT MAL

VOILÀ MADAME CALMEZ-VOUS C'EST FINI

PEUT-ÊTRE QUE J'EXISTE DANS UN AILLEURS OÙ MON HEURE DE GLOIRE EST ENFIN ARRIVÉE?

MAIS LÂCHEZ CE NAUFRAGÉ MERDE, JE L'AI VU AVANT VOUS! VOUS NE VOYEZ PAS QUE C'EST MOI LE BEAU GOSSE ET QUE C'EST À MOI DE LUI FAIRE LE BOUCHE À BOUCHE? ALLEZ POUSSEZ-VOUS MAIS POUSSEZ-VOUS, C'EST MOI LE BEAU GOSSE

MAIS MER À LA FIN V NE VOYE QUE MON HEURE D GLOIRE EST PEUT ARRIVÉE

ALLEZ, UN BON BOUCHE À BOUCHE COMME ON ME L'A APPRIS À L'ÉPOQUE OÙ J'ÉTAIS SCOUT

HHHHHHH

FFF...

AAAH!

MAIS QU'EST-CE VOUS FAITES?!!... VOUS ÊTES MALADE OU QUOI? MAIS IL EST FOU CE MEC!...

VOUS OSÂTES ME TOUCHER?

AINSI DONC VOUS FAILLITES ABUSER DE MON SOMMEIL

PUIS-JE ME PERMETTRE DE VOUS FAIRE REM QUE VOUS ME DÉÇÛTES?

MAIS ENFIN MADAME, C'EST MOI QUI VOUS SAUVAI LA VIE À L'INSTANT, ET IL EUT SUFFI QUE VOUS EUSSIEZ REÇU, SI, SI, LE VERBE RECEVOIR À L'IMPARFAIT DU SUBJONCTIF ÇA FAIT EUSSIEZ REÇU, DONC QUE VOUS EUSSIEZ REÇU UN BOUCHE À BOUCHE ADÉQUAT POUR QUE

QUOI? VOUS? ME FAIRE UN BOUCHE À BOUCHE À MOI? SACHEZ MONSIEUR QUE JE NE DONNERAI MA VIRGINITÉ QU'À UN GRAND BLOND TAILLÉ À LA HACHE

VOUS?

A MOI?

OUI MAIS JE PENSAIS QUE

ET QUI COMMENCERAIT D'ABORD À ME CARESSER LE BOUT DES SEINS

OUI MAIS JE PENSAIS QUE

PUIS À LES TITILLER AVEC SON ŒIL

OUI MAIS JE PENSAIS QUE

MAIS ENFIN MONSIEUR C'EST RIDICULE VOYONNNS, COMMENT AVEZ-VOUS PU CROIRE UN SEUL INSTANT QUE JE LIVRERAIS MON CORPS À UN HOMME QUI NE SOIT PAS TAILLÉ À LA HACHE?!

HEIN?

ENFIN VOYONNNS C'EST RIDICULE

OUI MAIS C'EST QUE JE PENSAIS QU'IL Y AVAIT EN CHACUN DE NOUS QUELQUE CHOSE DE TENESSEE

EH BEN NON, JUSTEMENT NON

TOUS CES BOURRELETS DE CHAIR, TOUS CES RENFLEMENTS ADIPEUX, CE VENTRE FLASQUE, CES POILS QUI SORTENT DE VOS OREILLES, TOUTES CES PUSTULES QUI POUSSENT ENTRE VOS DOIGTS DE PIED

OUI C'EST QUE JE N'ARRIVE PAS À ME DÉCIDER À ACHETER UN MIROIR BOUHOURLO ILS SONT DE PLUS EN PLUS CHERS BOUHOU WAAHAARLGRLL

COMMENT VOULEZ-VOUS QU'UNE FEMME COUCHE, ET CE QUI PRÉSUPPOSE DONC ALLER JUSQU'À L'ORGASME, AVEC UN MEC COMME VOUS?

OUI C'EST VRAI, TOUT ÇA C'EST VRAI ÇA, JE NE VOUS REGARDERAI PLUS AVEC CONCUPISCENCE, ET DIRE QUE CAPRI C'ÉTAIT LA VILLE DE MON PREMIER AMOUR

BOAAH, FAUT PAS EXAGÉRER NON PLUS, JE DISAIS SIMPLEMENT QUE

NON, NON JE VOUS EN SUPPLIE ARRÊTEZ NE DITES PLUS RIEN

LAISSEZ-MOI LAISSEZ-MOI LAVER MON LINGE TOUT SEUL

MERDE, MERDE ET MMMERDE, J'AI TOUT RATÉ DANS MA VIE, DIRE QUE ÇA FAIT DES ANNÉES ET DES ANNÉES QUE JOHNNY HALLIDAY ME FAISAIT CROIRE QU'IL Y AVAIT EN CHACUN DE NOUS QUELQUE CHOSE DE TENESSEE

COMMENT AI-JE PU ÊTRE NAÏF À CE POINT ET CROIRE QUE LA PIERRE EST UN PLACEMENT RASSURANT?

ALLONS ALLONS

J'AI TOUJOURS CHERCHÉ LA VÉRI

MAIS JE N'AI JA RÉUSSI À LA TRANSMETTRE

ÉCOUTEZ-M

POURQUO NE SUIS-J VULNÉRA

POURQUO

ÉCOUTEZ

TROUVERA UN JOUR U RÉPONSE M L'INFINITUD DIVINE DE L'ÂM

Du côté de Perpignan...

RACHID LE MYOPE AUX YEUX BLEUS RAVAGEURS, NOUS ENTRAINE DANS LE MONDE FASCINANT ET LUXUEUX JUSQU'A L'ARROGANCE, MAIS AUSSI, DÉCHIRÉ ENTRE L'AMOUR ET LA HAINE, DES NUDISTES PERPIGNANAIS...

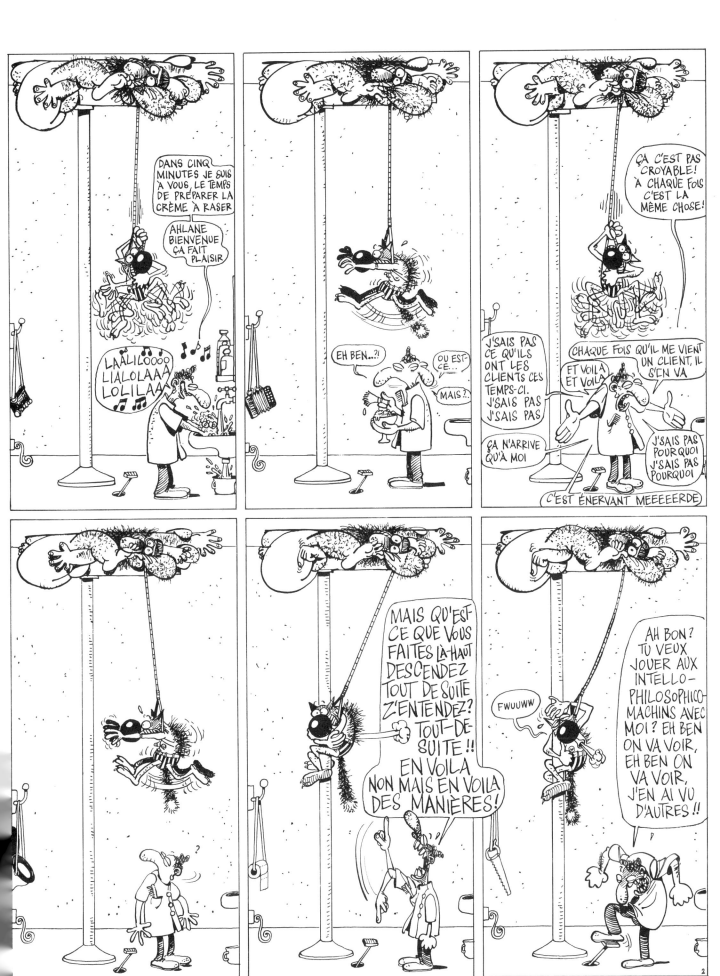

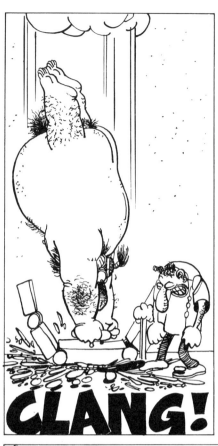

CLANG!

ALORS COMME ÇA VOUS FAITES DU NUDISME SUR LA PLAGE? HAHHAHA HAHHA-HA-HAAAAA... AH LALLA-LALA-LALAAAA QUELLE HONTE, NON MAIS QUELLE HONTE, VRAIMENT ON N'A PAS IDÉE, VOUS ÊTES FOU OU QUOI?HAHHA-HAHAHA

ALORS C'ÉTAIT POUR QUOI DÉJÀ? LA BARBE OU LES CHEVEUX?

LA BARBE

OKAY LET'S GO

CLANG

TENEZ VOICI DE LA LECTURE POUR VOUS FAIRE PASSER LE TEMPS PENDANT QUE JE PRÉPARE LA CRÈME À RASER

AH MERCI C'EST SYMPA

MAIS NON MAIS SI

MAIS NON MAIS SI MAIS NON MAIS SI

MAIS NON BON VALOIS

WOUHHI-HI-HI-HI-HOU, TOUT NU SUR LA PLAGE, VOUS ÊTES UN VRAI BRIDULE RIBIN, SAVEZ-VOUS QUE VOUS ÊTES UN VRAI ENCULÉ? ÊTES VOUS SEULEMENT CONSCIENT, QUE VOUS ÊTES L'EXEMPLE TYPIQUE DU BEAUF DU DESSINATEUR CABU? VOUS SAVEZ CELUI QUI EST PASSÉ À APOSTROPHES

QUELLE HONTE QUELLE HONTE À VOTRE ÂGE, FAIRE DES COCHONNERIES PAREILLES WAHHA-HA-HA-HA-HA-HAAA

ET EN PLUS VOUS PUEZ SOUS LES AISSELLES

AH ÇA JE PEUX VOUS JURER QUE J'AI JAMAIS VU UN IDIOT DE VOTRE ESPÈCE AUSSI NUL QUE VOUS

C'EST TRÈS ÉNERVANT

NON MAIS ÇA SE VOIT QUE VOUS VOUS ÊTES LAISSÉ ENTRAÎNER PAR CETTE BANDE DE VOYOUS

ALORS C'EST POUR QUOI DÉJÀ? LA BARBE OU LES CHEVEUX?

LA BARBE

ASSIÉREZ-VOUS SUR LA FAUTEUIL

C'EST UN SCANDALE! UN SCANDALE!

AAH LALA-LALA... ENFIN... EEEH OUI, QU'EST-CE QU'ON PEUT FAIRE?... EEEH OUI... EEH OUI... QU'EST-CE QUE VOUS VOULEZ?...

NON, MAIS ÇA C'EST PAS VOTRE FAUTE, C'EST TOUT SIMPLEMENT DÛ À L'ALTÉRATION DES CELLULES VIVANTES

C'EST POUR LA BARBE OU LES CHEVEUX?

ENFIN... QUE VOULEZ-VOUS...

ASSIÉREZ-VOUS SUR LA FAUTEUIL

VOUS CONNAISSEZ CETTE CHANSON DE FARID-EL-ATRACHE?

SEE YOU LATER ALLEUGATOR PAPPÈÈÈ LALA

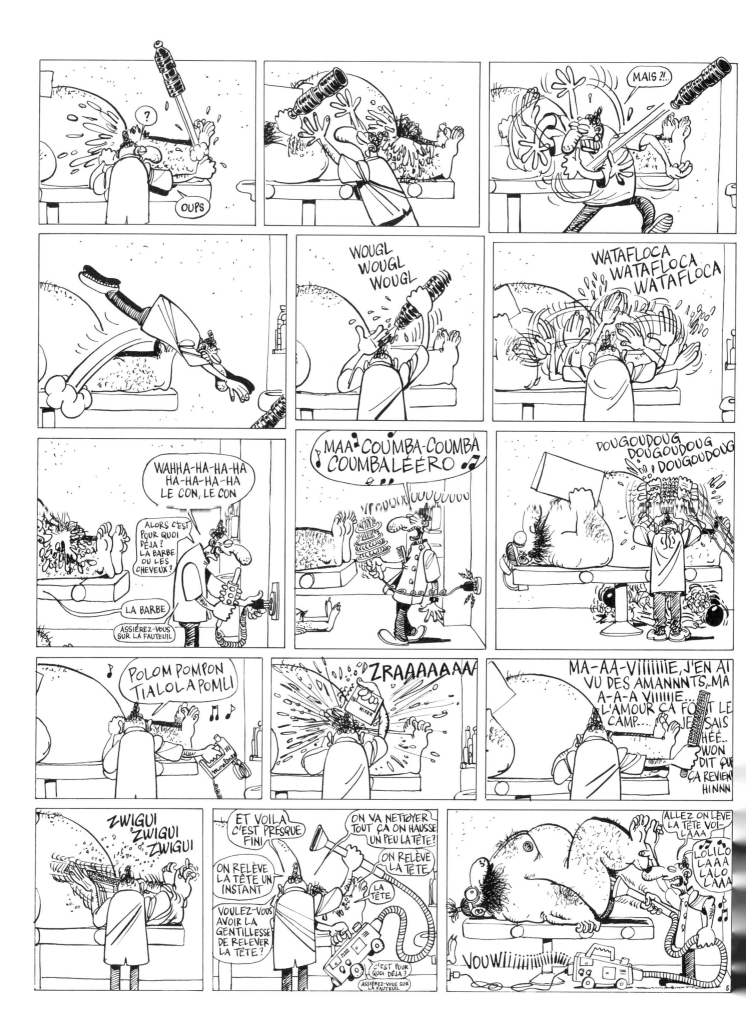

ÉDIKA 4.86

37

41

CHOMDU

PROFESSION ?

JE VIENS DE VOUS LE DIRE MADAME, CHIRURGIEN-DENTISTE

ET QUEL EST VOTRE MÉTIER ?

CHIRURGIEN-DENTISTE

AH MAIS DITES-MOI, JE VOULAIS JUSTEMENT VOUS DEMANDER QUELQUE CHOSE AVANT D'OUBLIER MAINTENANT QUE ÇA ME VIENT À L'ESPRIT, AVEZ-VOUS UNE PROFESSION QUELCONQUE ?

OUI JE... VOYEZ-VOUS... COMMENT DIRE... C'EST... EN FAIT PARFOIS LE D'AILLEURS

CHIRURGIEN-DENTISTE

BON, TOUT ÇA C'EST TRÈS BIEN, VOYONS MAINTENANT LE COTÉ PRATIQUE DES CHOSES, CE N'EST PEUT-ÊTRE PAS LE MOMENT D'EN PARLER MAIS ICI À L'A.N.P.E. NOUS N'AVONS PAS L'HABITUDE DE TOURNER AUTOUR DU POT, DONC EXCUSEZ-MOI D'ÊTRE AUSSI DIRECTE MAIS J'AIMERAIS SAVOIR QUEL EST LE GENRE DE TRAVAIL QUE VOUS EXERCEZ

KEUH

PARFOIS IL Y A DES GENS TRÈS GENTILS QUI ONT MAL À LEURS DENTS N'EST-CE PAS, ALORS EUX VIENDRENT CHEZ MOI, ALORS MOI DEMANDÈRE À EUX: "POURQUOI VOUS VIENDRENT CHEZ MOI?" ALORS EUX DIRE À MOI: "DOC, Y A MAL À LA DENT DOC" ALORS MOI COMME SI DE RIEN N'ÉTAIT JE DIRE: "ASSEYEZ-VOUS LÀ" ALORS MOI DONC ARRACHÈRE DENT QUI FAIT MAL, ALORS APRÈS ÇA EUX PLUS MAL À DENT... ET ÈVE... WAHHAHAAA À DENT ET ÈVE, À DENT ET ÈVE ÇA FAIT ADAM ET ÈVE NON C'EST RIEN

CHIRURGIEN-DENTISTE

ET QUEL EST VOTRE TRAVAIL ?

TCHAA

TRÈS BIEN, VENONS-EN MAINTENANT AUX RENSEIGNEMENTS GÉNÉRAUX, ET POUR COMMENCER NOUS TENONS, BIEN ENTENDU À CE QUE LE CANDIDAT SOIT LE PLUS À L'AISE POSSIBLE POUR RÉPONDRE À NOS QUESTIONS

VOICI DONC UNE OCCASION POUR VOUS D'EXPOSER TOUT CE QUI VOUS CONCERNE ET QUI PEUT AIDER L'A.N.P.E. À DÉTERMINER VOS CHANCES DE RÉUSSITE.

VOS RÉPONSES JUDICIEUSES NOUS AIDERONT DANS NOTRE EFFORT À METTRE "LE DROIT HOMME À LA DROITE PLACE" "THE RIGHT MAN IN THE RIGHT PLACE" COMME DISENT LES ALBANAIS.

IL VA DE SOI QUE TOUT CONTRAT ÉVENTUEL ENTRE UNE SOCIÉTÉ ET VOUS-MÊME EST SUBORDONNÉ À L'EXACTITUDE DES RENSEIGNEMENTS.

QUELLE EST VOTRE ACTIVITÉ PROFESSIONNELLE ?

POURQUOI LA MARINE BELGE N'A-T-ELLE PLUS DE SOUS-MARINS ?

AH ÇA JE N'AI AUCUNE IDÉE

PARCE QU'ILS ONT FAIT UNE JOURNÉE PORTES OUVERTES

WAHHAHHAAH HA TERRIBLE HA HA HA HAHA HA

CHIRURGIEN-DENTISTE! CHIRURGIEN-DENTISTE! CHIRURGIEN-DENTISTE!

OKAY, CECI DIT, PASSONS MAINTENANT À UN SUJET COMPLÈTEMENT DIFFÉRENT DE TOUT CE QUI A ÉTÉ DIT JUSQU'À PRÉSENT. C'EST PEUT-ÊTRE POUR VOUS LE MOMENT LE PLUS DIFFICILE À PASSER CAR JE VAIS VOUS POSER COMME VOUS VOUS EN DOUTEZ, LA QUESTION ESSENTIELLE DONT LA RÉPONSE DE VOTRE PART EST SANS AUCUN DOUTE UN TOURNANT DÉCISIF DANS LE PARCOURS DE VOTRE DESTINÉE. JE VOUS DEMANDE DONC DE VOUS DÉTENDRE EN RELÂCHANT VOS MUSCLES ZYGOMATIQUES ET FESSIERS.

RÉFLÉCHISSEZ BIEN AVANT DE RÉPONDRE À LA QUESTION SUIVANTE: QUEL EST VOTRE MÉTIER?

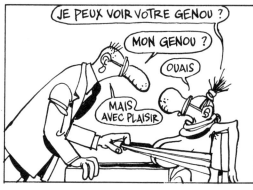

JE VOUS EN SUPPLIE YVONNE DEMANDEZ-MOI CE QUE VOUS VOULEZ, MAIS PAS MON APOPHYSE CORACOÏDE J'AI NEUF CHATS À NOURRIR, PAS MON APOPHYSE CORACOÏDE

PLIZE

ALLEZ SALE PUTE SOIS UN HOMME

YVONNE! NON PAS ÇA YVONNE WAK

MON DIEU, QUELLE HONTE QUELLE HONTE, QUE DE VULGARITÉ, QUE DE BASSESSE

DIRE QUE QUAND J'ÉTAIS JEUNE JE VOULAIS DEVENIR ARCHITECTE

TU VOIS QUELQUE CHOSE?

BON ALLEZ, ASSEZ PLAISANTÉ COMME ÇA YAHHOUHAAAAA

YAHHAAW

OUI C'EST VRAI YAHHAAW

CE FUT TRÈS BIEN OUI CE FUT TRÈS BIEN TU SAIS YVONNE... PFFF... MAINTENANT QUE L'ON SAIT TOUT L'UN DE L'AUTRE PFFF...IL FAUT QUE JE T'AVOUE QUE JE NE SUIS PAS L'HOMME QUE TU CROIS...PFF.

EH BIEN VOILA JE...JE NE... J'AI...ENFIN J'AI UNE DOUBLE VIE VOILA JE...EN FAIT JE SUIS CHIRURGIEN-DENTISTE

NON ?! MAIS J'TE JURE WAAAH GÉNIAL

ET...ET...ET JE PEUX SAVOIR QUEL EST VOTRE MÉTIER ?

- Au revoir enfoiré - EDIKA 5.86

51

Editions AUDIE 120 bis, bd du Montparnasse 75014 Paris. Tél. : 43.20.23.96
Imprimé par A.C.R.I., 50, rue Damrémont 75018 Paris. Tél. : 42.64.61.87 en novembre 1988. Numéro d'imprimeur : 439
Dépôt légal : novembre 1988. ISBN 2-85815-112-1. 2e édition. Dépôt initial décembre 1987.

LIBRAIRIES, COMMANDES EN GROS : MESSAGERIES DU LIVRE - 8, rue Garancière 75006 PARIS - Tél. : (1) 46.34.12.80, et les agences régionales des PRESSES DE LA CITE.